변치 말자, 핑크빛
신혼부부 다이어리

〈일러두기〉

원하는 스티커가 없을 때는 그림을 직접
그리거나 사진을 붙여서 책을 완성합니다.

변치 말자, 핑크빛
신혼부부 다이어리

초판 발행 2017년 11월 30일
1쇄 발행 2017년 11월 30일
글 와이스토리 편집부
발행인 윤성혜
기획 및 편집 김유진
디자인책임 디셉
발행처 와이스토리
출판등록 제333-2014-14호
주소 부산시 해운대구 수영강변대로 140 5층(부산콘텐츠코리아랩)
전화 070-7437-4270
홈페이지 http://y-story.co.kr

ISBN 979-11-88068-09-8(13800)

이 도서의 국립중앙도서관 출판예정도서목록(CIP)은
서지정보유통지원시스템 홈페이지(http://seoji.nl.go.kr)와
국가자료공동목록시스템(http://www.nl.go.kr/kolisnet)에서
이용하실 수 있습니다. (CIP제어번호 : CIP2017030198)

변치 말자, 핑크빛

신혼부부 다이어리

글 와이스토리 편집부

차례

1장 하나에서 둘이 되는 당신에게

2장 어느 별에서 온 사람

3장 연애 시절 이야기

4장 우리 결혼했어요

5장 결혼에 대한 당신의 생각

6장 조금 더 행복한 결혼 생활을 위해

1장

하나에서 둘이 되는 당신에게

이야기로 하나 되는 우리

사랑하는 마음이 늘 마음으로 지속되길 바란다면 바로 여기에 주목하세요.
서로를 잘 안다고 생각했는데 결혼을 앞두고 어느 날부터 고민이 생깁니다.
"내가 만나던 사람이 이 사람이었나?"
"지금이라도 다시 생각해 봐야 하지 않을까?"
슬슬 불안해지기 시작합니다. 그 불안은 점점 더 커지고
설상가상으로 결혼 준비 과정에서 이런저런 문제가 생기기도 합니다.
이해의 폭은 점점 멀어지고 결국 둘은 헤어지고 맙니다.

어디서부터 잘못된 것일까요?
결혼을 앞두고 있는 당신, 혼수 준비보다 먼저 해야 할 일은
우리가 서로를 잘 알 수 있게
서로에게 말할 수 있었던 시간이 필요한 것은 아니었는지…….
여기서부터 이 프로젝트가 시작됩니다.

엄마 아빠의 딸과 아들이었던 존재에서
누구의 남편, 누구의 아내가 된다는 것은 그리 호락호락한 일이 아닙니다.
그래서 우리는 갓 태어난 아기가 세상을 배워 나가듯
삼천 번을 넘어지고 내딛기를 시작하듯이 둘이 함께 세상을 배워야 합니다.
당신은 이미 결혼했다고요?
그래서…… 이미 늦어버린 것은 아닐까, 고민하지 마세요.

지금이 당신이 살아있는 동안 가장 일찍인 시간이니까요.

<신혼부부 다이어리>를 시작하기 전에 이렇게 해 보세요.
눈을 감고 마음의 평화가 깃들도록 잠시 묵상합니다.
이 세상에서 가장 사랑스러운 사람은 바로 '나'라는 마음으로
내 마음 속에 사랑의 마음이 가득 담기도록 크게 심호흡을 합니다.

작게 읊조립니다.
"나에게 참 감사합니다. 나는 이 세상에서 가장 소중한 사람입니다.
나는 나를 사랑합니다."
잠시 뒤 눈을 뜹니다.
내 앞에는 어여쁜 당신이 내 눈을 바라보고 있습니다.
두 손을 마주 잡습니다.
"당신이 있어 참 감사합니다. 당신은 나에게 가장 소중한 사람입니다."

이제 이야기의 막이 오릅니다.
무대의 커튼이 천천히 올라갑니다.
이제 나의 이야기를 들려주려고 합니다.
당신은 나에게 몸을 기울이고 눈을 반짝이며 귀를 쫑긋하고
내 이야기에 집중합니다.

웃음이 나오면 잇몸을 드러내고 크게 소리 내어 웃으세요.
눈물이 나오면 "엉엉" 소리 내어 눈물콧물 쏟아내며 울어 보세요.
당신이 건네는 손수건으로 눈물을 닦고 코를 "팽" 풉니다.
당신은 내가 하는 이야기에 온전히 나를 내어놓습니다.
머뭇머뭇 이 말을 꺼낼까 말까 망설이는 나를 위해
당신은 세상의 시간이 모두 멈춘 듯 내가 입을 열기를 기다려 줍니다.

우리는 이야기를 나누며
일곱 살 어린 시절로 돌아가 함께 뛰어놉니다.
학창시절 당신과 만나지 못해 들을 수 없었던 추억 여행에
당신이 나의 단짝이 되어 줍니다.

온전히 우리 둘만의 세상에서
둘만의 크루즈 여행을 하기도 하고
저 푸른 초원 위에 그림 같은 집을 짓기도 합니다.

그림 카드로 이야기를 만들어 갑니다.
내가 고른 그림에서는 누구나 자신이 주인공이 됩니다.
그래서 나만의 이야기가 만들어집니다.
그림에 대한 해석은 내가 정한 대로 합니다.

보이는 대로, 마음이 끌리는 대로 말하면 됩니다.

이야기의 맛은 뭐니뭐니해도 잘 들어주는 사람이 있어야 하지요.
들어주는 사람이 있어야 신나서 이야기를 할 수 있기 때문이지요.
나는 오늘 최고의 이야기꾼이 됩니다.
최고로 잘 들어주는 사람,
바로 당신이 함께 있어
나는 최고의 이야기꾼이 될 수 있습니다.

이야기가 있고
이야기가 흐르고
이야기로 만드는 우리들의 이야기에
당신과 함께 할 수 있어
나는 참 행복합니다.

너와 나의 시간

너는 어느 별에서 왔니?

거리에서 우연히 너와 내가 마주했을 때
온 세상의 시간은 멈춘 듯 했고

모든 나무들은 우리 둘을 위해서
춤을 추기 시작했어.

그렇게 우리의 시간은 시작되었지.

별빛을 닮아 고요한
너의 고운 눈동자

가을바람 부는 언덕에서
너의 긴 머리카락이 바람에 흩날릴 때
뛰는 나의 가슴

너의 등 뒤에 기대어
함께 달리는 자전거의
힘찬 페달 소리보다

더 크게 들렸던 너의 숨소리

메밀꽃 핀 언덕길
하얀 달빛보다
더 희고 고운
너의 볼

노을 지는
바다 한 켠에 앉아
지켜보던 너의 깊은 눈매

그래,
너는 어느 별에서 왔니?

소와 사자의 사랑 이야기

소와 사자가 첫눈에 반했어.

늠름한 사자의 모습과 건강미
소의 맑은 눈망울과 순수함에
둘은 서로에 대한 사랑을 맹세했지.

사자는 매일 사냥 나가기를 좋아했어.
자신이 가장 좋아하는 고기였지만
먹고 싶은 걸 참아 내면서
소에게 모두 가져다주었어.

소는 매일 주인이 주는 신선한 풀을
먹지 않고 모아 두었어.
그리고 사자가 오면 주었지.

사자를 위해 풀을 먹지 않고 모아 두던 소는 시름시름 말라갔어.
고기를 먹지 않는 소가 답답했던 사자는
더 멀리 넓은 들판으로
사냥의 영역을 넓혀 더 다양한 고기를 갖다주었지.

소는 사자가 미워지기 시작했어.

소가 배고픈 걸 꾹꾹 참고 모아둔 풀을

사자는 거들떠보지 않기 때문이야.

늠름했던 사자의 모습은

어느덧 앙상한 갈비뼈로 변하기 시작했어.

'내가 너를 위해 얼마나 참으면서 애쓰고 있는데, 이걸 왜 안 먹는 거야?'

"내 노력을 봐서라도 먹을 수 있는 거 아니야?"

"그러는 당신은?"

둘은 지쳐 가기 시작했어.

"난 너에게 최선을 다했어! 넌, 정말 이기적이야!"

지금 알고 있는 것을 그때 알았더라면

시장에서 고등어 한 손을 샀어요.

고향 집 엄마가 직접 담근 된장이
풋풋한 향의 애호박과 함께 박스에 담겨서
몇백 킬로미터를 달려서 우리 집 앞에 와 있어요.

당신이 퇴근하는 시간에 맞춰
보글보글 된장찌개를 끓여 놓을게요.

숟가락 드는 당신 앞에 앉아서
구운 고등어 한 점을 당신의 숟가락 위에 올려놓을게요.

'참 맛나다. 당신과 함께 하는 이 시간, 참 맛나다.'

식사 후 손잡고 공원 길을 걸어요.
바람결에 당신의 향기가 내 코끝에 다가와요.

향 좋은 커피에 이끌려
카페에서 도란도란 이야기를 나누어요.

당신이 나의 손을 이끌어요.

하지만 내 몸이 움직이지 않아요.

눈을 떠 보니 된장찌개는 쫄아 들고

나는 졸고 있어요.

몇 번이나 뒤집은 고등어는 내 마음처럼 말라가고 있어요.

내 아내(남편)는 지금 어디쯤 오고 있을까요?

전화를 들어 통화 버튼을 누르려다가 참아요.

그때 현관 비밀번호 누르는 소리가 나요.

띠띠띠띠띠

달려가서 내가 문을 열어요.

"철컥"

입가에 짜장면이 묻어도 넌 예뻐

두 시간을 함께 걸었어.

무슨 이야기를 나누었는지 다 기억할 수 없을 정도로

우리는 웃고 웃었어. 걷다 보니 배가 고팠어.

"뭐 좀 먹을까?"

"응."

가장 가까운 곳에 중국성이 보여. 나는 너의 손을 이끌어 자리에 앉지.

"여기 짜장 하나 짬뽕 하나요. 고춧가루도 주세요."

노란 단무지가 나왔어.

나는 식초 병을 들어서 단무지가 적실 정도로 힘껏 뿌려 대지.

짜장면이 나왔어.

나는 검은 짜장 위에 빨간 꽃잎 같은 고춧가루를 마구 뿌려 댔어.

"여기 김치도 주세요."

나는 짜장면을 젓가락으로 휘익 저어서 너에게 내밀었어.

"먼저 먹어. 나는 짬뽕을 먼저 먹을래."

너는 짜장 아래쪽에 젓가락을 쑤욱 집어넣어 짜장면을 먹기 시작했어.

나는 후루룩 후루룩 소리를 내며 짬뽕을 먹기 시작했지.

짬뽕 먹던 내가 고개를 들었을 때 너의 얼굴과 마주쳤어.

너의 입가에 묻은 까만 짜장 소스

희미하게 웃는 너의 앞니에 고춧가루가 묻어 있어.

나는 짬뽕 그릇으로 눈을 돌렸어.

그리고 다시 짬뽕 한 그릇을 모두 먹어 치웠어.

너의 짜장 그릇에 아직 남아 있는 빨간 고춧가루가 보였어.

우린 중국성을 나왔어.

두 시간을 걸었어.

우린 한 동안 말이 없었어.

웃지 않았고, 무슨 말을 했는지도 기억이 나지 않았어.

그러는 사이 버스 정류장에 다다랐어.

"어? 버스 왔네."

네가 달려가 버스에 올랐어.

잠시 후 내 핸드폰에

"깨독깨독~~~~"

"우리."

"이제 그만."

내가 탈 버스가 왔어.

나는 핸드폰을 연채로 버스에 올라탔어.

사랑하라 사랑하라 그리고 사랑하라

오늘 저녁 나는
향 좋은 거품 목욕을 마치고
욕실 문에 하얀 수건을 걸어요.

당신이 나와 사랑을 나누길 원한다면
그 수건을 걷으세요.

꽃잎 동동 뜬 욕조에 당신이 몸을 담그면
와인 한 잔을 당신에게 가져다줄게요.

당신이 좋아하는 아로마 향초를 켜 놓을게요.
은은한 불빛 아래 당신과 나는 사랑을 해요.
당신의 머릿결에서 나는 풀냄새가 참 좋아요.

어제 저녁 나는
향 좋은 거품 목욕을 마치고
욕실 문에 하얀 수건을 걸어 두었어요.
오늘도 여전히 욕실 문에 수건이 걸려 있어요.

당신은 여전히 소파 귀신이 되어 기다랗게 널브러져 있어요.

한 손엔 리모컨이 들려 있어요.

당신 머리맡엔 당신이 좋아하는 과자 부스러기가 떨어져 있어요.

나는 눈을 돌려 버려요.

널브러져 있는 당신의 배 위쪽에 행복하게 웃는 웨딩 액자가 보여요.

내일 저녁 나는

향 좋은 거품 목욕을 마치고

욕실 문에 하얀 수건을 걸어 둘게요.

내일 저녁 당신은

욕실 문 앞 하얀 수건을 접어

장미 한 송이를 올려놓으세요.

웨딩 액자 속 우리 둘이 웃고 있어요.

결혼에 대한 너와 나의 7가지 생각

가족, 너와 나의 생각은?

나 결혼했으니까 우리 가족에게 잘해 줬으면 좋겠어.

너 우리 둘이 잘사는 모습을 보여주는 것이 너의 가족이 바라는 걸 거야. 참, 어제 우리 엄마가 전화 왔는데 네가 우리 엄마한테 용돈 보내 줬다고 하더라. 정말 고마워. 이번 명절에 조금 일찍 내려가서 부모님과 온천여행 갈까?

결혼, 너와 나의 생각은?

나 행복해? 나도 그래. 나한테 조금만 더 신경 써 주면 더 행복할 거야.

너 행복해? 나도 그래. 지난번 모임에서 내 친구들을 잘 챙겨 줘서 고마웠어. 친구들이 엄청 부러워하더라고. 결혼 잘 했다고 하면서……. 평소에도 그때처럼 나를 챙겨 주면 좋겠어.

돈, 너와 나의 생각은?

나 결혼 전에는 내가 사고 싶은 것을 다 살 수 있었어.

너 나도 그랬어. 그런데 둘의 월급이 통장에 들어오는 것을 보니 이제 마음대로 사지 못하겠어. 외출할 때는 신용카드를 집에 두고 나가자. 네가 외출 준비하는 동안, 내가 커피를 텀블러에 담을게. 우리 강변에 앉아서 커피 같이 나눠 마시자. 과자도 챙길까?

스킨십, 너와 나의 생각은?

나 오늘 회사에서 좋지 않은 일로 상사에게 혼이 났어. 지금 기분이 별로 안 좋아.

너 아~~ 그랬구나. 아까 들어올 때 표정이 좋지 않아서 왜 그런가 그랬는데 그런 일이 있었구나. 많이 속상했겠다. 나가서 치맥 같이 할까? 나도 치맥하고 싶었거든.

집안일, 너와 나의 생각은?

나 둘이 살면 쓰레기가 이렇게 많이 나오는 줄 몰랐어. 분리수거 하는 날 같이 하자. 네가 저녁식사 준비하는 동안 나는 화장실이랑 베란다 청소할게. 그저께는 세탁하고 건조대에 너는 것을 깜빡해서 빨래를 다시 돌렸어. 우리 매달 10만원씩 모아서 올 12월에 건조기 살까?

너 그래, 그거 참 좋은 생각이야. 내가 음식물 쓰레기를 매일 버려야 하는데 잊어버려서 냄새가 심하지? 여름엔 더 심하고 날벌레 생긴다고 음식물 쓰레기를 냉동실에 두었다가 며칠에 한 번씩 버리라고 엄마가 그러시더라. 음식물 쓰레기 버릴 만한 빈 통을 찾아봐야겠어.

폭력, 너와 나의 생각은?

나 나한테 "야"라고 부르지 않았으면 좋겠어. 결혼하면서 내 이름이 없어진 것 같아. 연애 때처럼 내 이름을 불러줘.

너 그래. 우리 초등학교 때부터 친구라서 편하게 말이 나온 것 같아. 이제부터 서로 이름을 부르기로 하자. 처음엔 어색할 테지만 존댓말 써 볼까?

자녀, 너와 나의 생각은?

나 아기가 생기면 우리 둘에게 어떤 변화가 생길까? 이런저런 걱정으로 기쁘기보다 두려울 것 같아. 지금 하고 있는 일을 좀 더 하고 싶은데 일과 육아를 계속해서 잘해 낼 수 있을까?

너 그렇지? 나도 우리에게 아기가 생기면 부모로서 아이를 잘 키울 수 있을까 걱정이 돼. 그래도 아이가 생긴다면 그건 정말 큰 축복이야. 우리 둘이 육아를 위해 번갈아가며 휴직을 하면 어떨까? 부모님이 도와주신다고 해도 전적으로 부모님께 맡기는 것은 아닌 것 같아. 같이 고민해 보자.

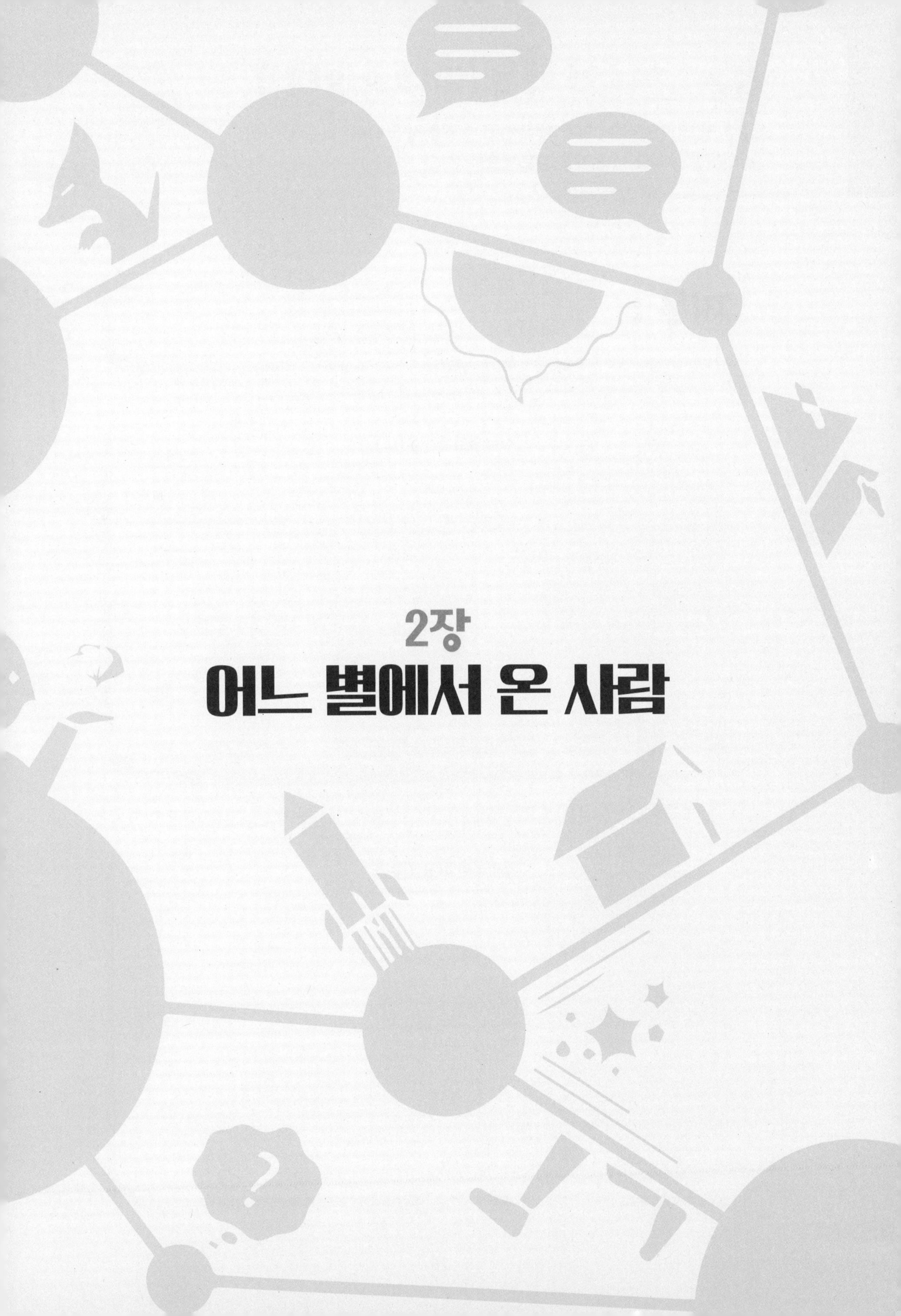

2장
어느 별에서 온 사람

결혼 전 나의 행복(아내 이야기)

결혼 전 내 인생에서 가장 행복했던 순간을 생각하며, 다음에 따라 스티커를 붙이고 이야기를 만드세요.

제목 :

주인공이 하고 있는 일

주인공이 하는 일을 방해하는 요소

그 상황을 해결하기 위해 노력했던 일

그 결과 주인공은 어떻게 되었을까?

결혼 전 나의 행복(남편 이야기)

결혼 전 내 인생에서 가장 행복했던 순간을 생각하며, 다음에 따라 스티커를 붙이고 이야기를 만드세요.

제목 :

이야기의 주인공(나)

주인공이 하고 있는 일

주인공이 하는 일을 방해하는 요소

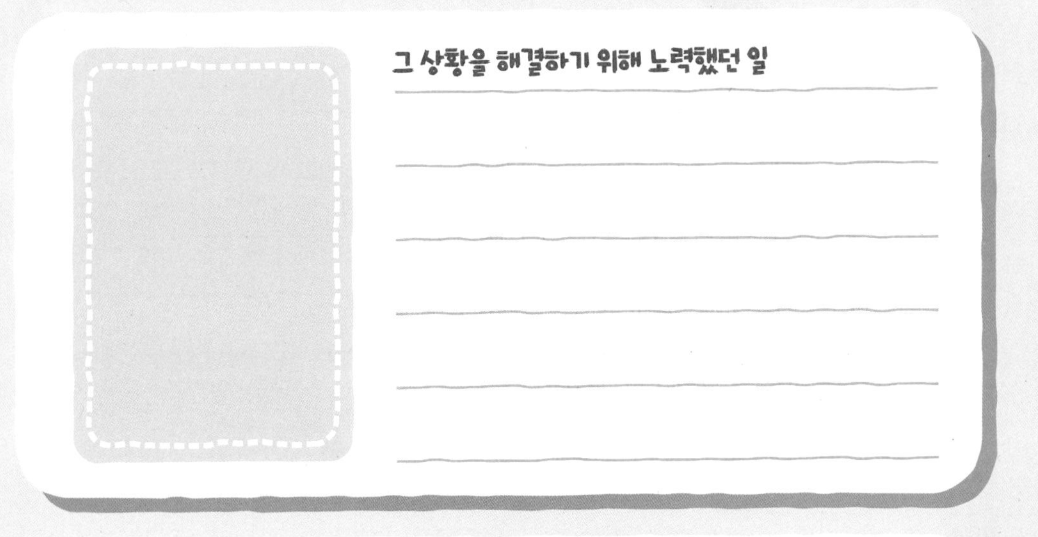

그 상황을 해결하기 위해 노력했던 일

그 결과 주인공은 어떻게 되었을까?

서로의 이야기에 공감해요

서로의 이야기를 읽고 난 뒤, 상대방에게 주고 싶은 카드를 세 장 뽑습니다.
공감, 위로, 조언 등 상대방의 이야기를 듣고 느낌을 말해 보세요.

서로의 이야기에 공감해요

서로의 이야기를 읽고 난 뒤, 상대방에게 주고 싶은 카드를 세 장 뽑습니다.
공감, 위로, 조언 등 상대방의 이야기를 듣고 느낌을 말해 보세요.

나를 힘들게 했던 일(아내 이야기)

내 인생에서 가장 힘들었던 순간을 생각하며, 다음에 따라 스티커를 붙이고 이야기를 만드세요.

제목 :

이야기의 주인공(나)

주인공이 하고 있는 일

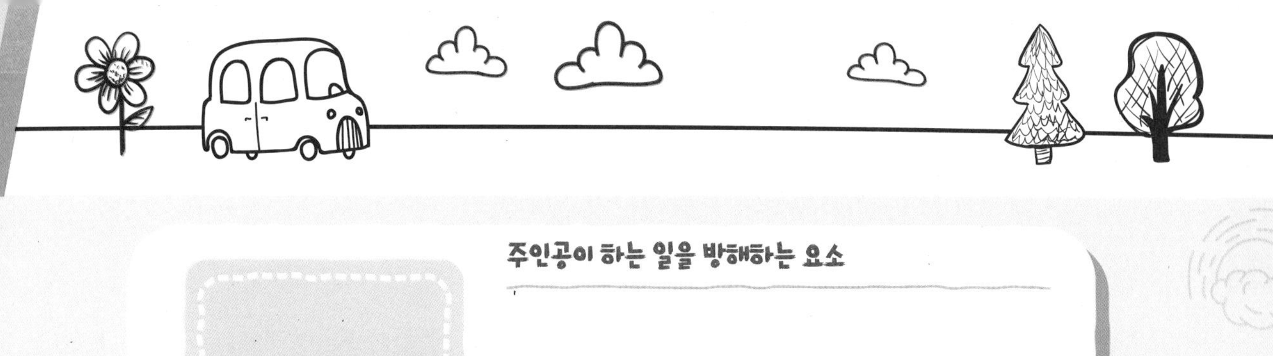

주인공이 하는 일을 방해하는 요소

그 상황을 해결하기 위해 노력했던 일

그 결과 주인공은 어떻게 되었을까?

나를 힘들게 했던 일(남편 이야기)

내 인생에서 가장 힘들었던 순간을 생각하며, 다음에 따라 스티커를 붙이고 이야기를 만드세요.

제목 :

이야기의 주인공(나)

주인공이 하고 있는 일

주인공이 하는 일을 방해하는 요소

그 상황을 해결하기 위해 노력했던 일

그 결과 주인공은 어떻게 되었을까?

서로의 이야기에 공감해요

서로의 이야기를 읽고 난 뒤, 상대방에게 주고 싶은 카드를 세 장 뽑습니다.
공감, 위로, 조언 등 상대방의 이야기를 듣고 느낌을 말해 보세요.

서로의 이야기에 공감해요

서로의 이야기를 읽고 난 뒤, 상대방에게 주고 싶은 카드를 세 장 뽑습니다.
공감, 위로, 조언 등 상대방의 이야기를 듣고 느낌을 말해 보세요.

3장
연애 시절 이야기

연애 스토리 타임라인

연애 시작부터 결혼 전까지 우리에게 무슨 일이 있었나요? 스티커나 그림을 이용해 타임라인을 만들어 봅시다.

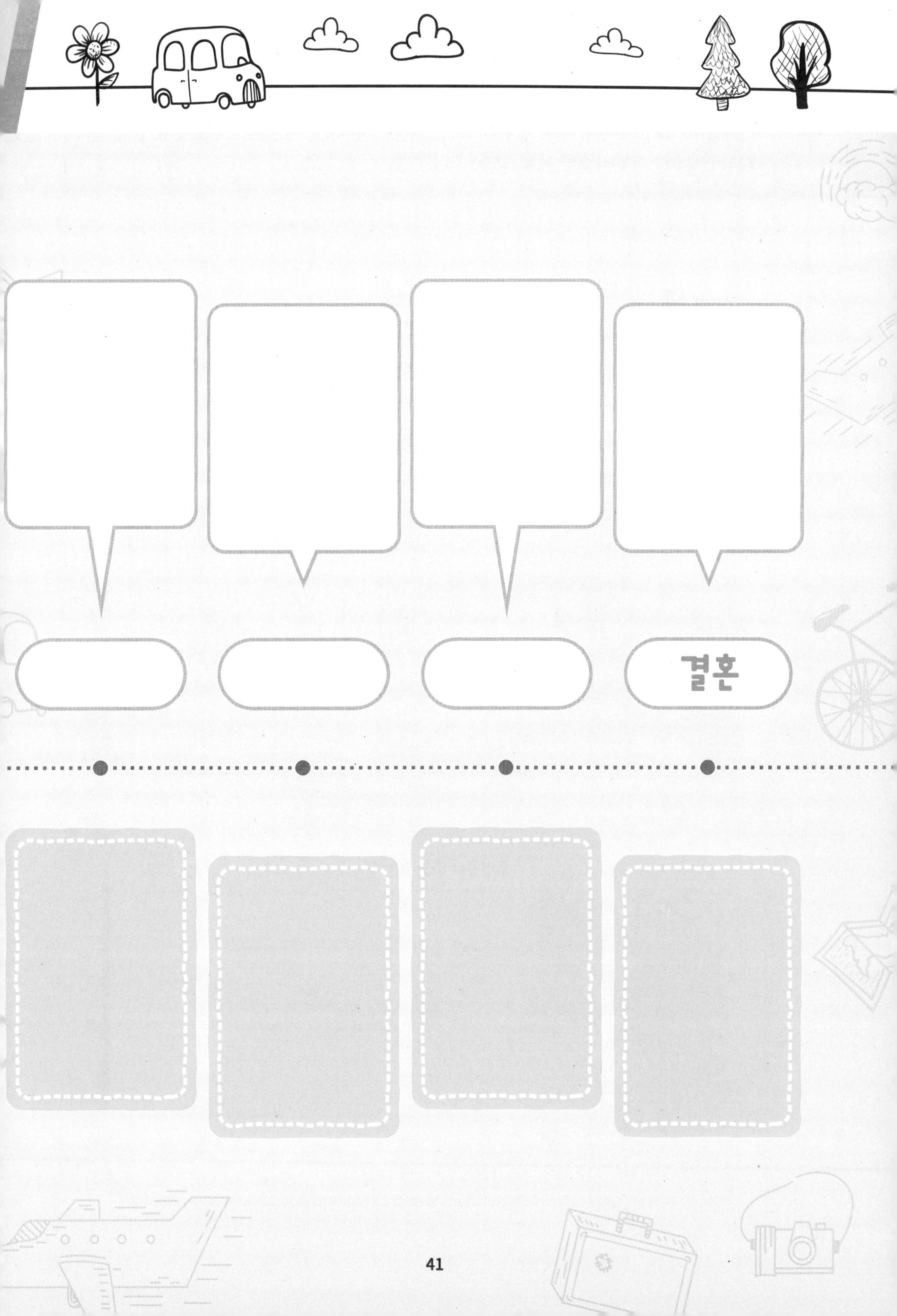
결혼

연애 시절의 한 장면

연애할 때 가장 기억에 남는 일을 이야기로 만들어 봅시다. 약간의 방해요소가 있고, 해피엔딩으로 마무리됐던 에피소드면 더 좋아요.

제목 :

주인공이 하고 있는 일

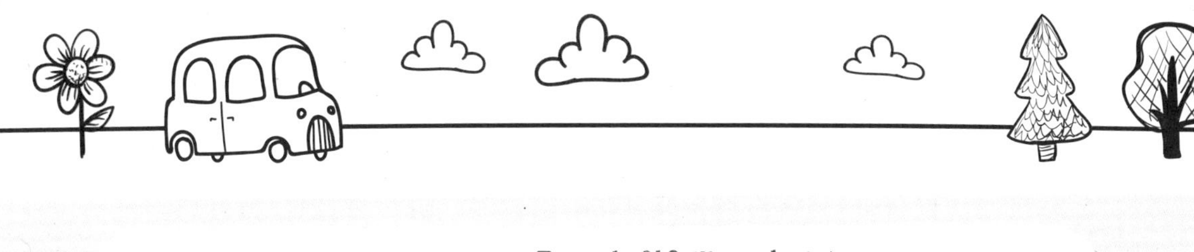

주인공이 하는 일을 방해하는 요소

그 상황을 해결하기 위해 노력했던 일

그 결과 주인공은 어떻게 되었을까?

내가 생각하는 남자

내가 생각하는 남자는 어떤 사람입니까? 생각나는 대로 최대한 많이 쓰세요.
'남자'하면 가장 강하게 떠오르는 이미지를 스티커에서 찾아 붙여요.

내가 생각하는 여자

내가 생각하는 여자는 어떤 사람입니까? 생각나는 대로 최대한 많이 쓰세요.
'여자'하면 가장 강하게 떠오르는 이미지를 스티커에서 찾아 붙여요.

서로 알기 테스트

다음 질문에 아내와 남편이 각각 답한 뒤 서로 채점을 해 보세요.
우리는 서로에 대해 얼마나 알고 있을까요? (각 4점 + 40점 = 총 100점)

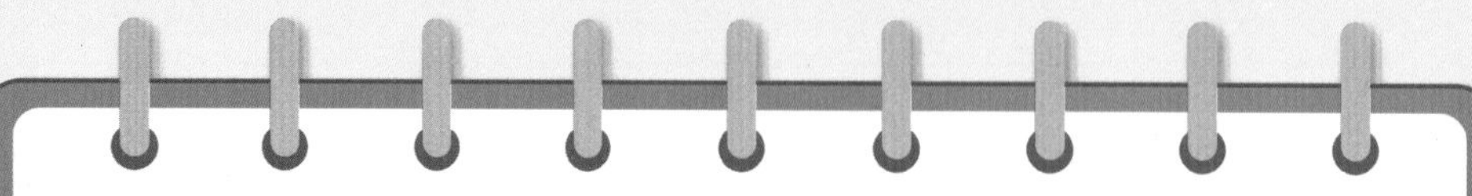

1. 배우자는 어떨 때 웃습니까?
2. 배우자는 어떨 때 힘들어 합니까?
3. 배우자는 기쁜 일이 있을 때 어떤 표정이나 행동을 합니까?
4. 배우자는 스트레스를 받거나 힘들 때 어떤 행동을 합니까?
5. 배우자가 좋아하는 노래는 무엇입니까?
6. 배우자가 감명 깊게 읽은 책을 무엇입니까?
7. 배우자가 존경하는 사람은 누구입니까?
8. 배우자의 가장 큰 장점은 무엇입니까?
9. 배우자의 약점이나 단점은 무엇입니까?
10. 배우자가 좋아하는 음식은 무엇입니까?
11. 배우자가 싫어하는 음식은 무엇입니까?
12. 배우자는 "돈"에 대해 어떻게 생각합니까?
13. 배우자는 "자녀"에 대해 어떻게 생각합니까?
14. 배우자는 "부모 " 에 대해 어떻게 생각합니까?
15. 배우자가 미래에 하고 싶은 일은 무엇입니까?

아내 답안지
점

남편 답안지
점

4장
우리 결혼했어요

(결혼)에 대해 정의 내리기(아내)

뒤집어진 카드를 세 장 골라 상대방에 줍니다. 배우자가 준 세 장의 카드로 "결혼"에 대해 정의를 내려 보세요.

(결혼)에 대해 정의 내리기(남편)

뒤집어진 카드를 세 장 골라 상대방에 줍니다. 배우자가 준 세 장의 카드로 "결혼"에 대해 정의를 내려 보세요.

당신과 결혼한 이유(아내)

상대방과 결혼을 결심하게 된 이유는 무엇인가요? 내가 상대방과 결혼을 결심한 이유를 한눈에 알 수 있도록 다음 그림을 중심으로 완성해 보세요.

당신과 결혼한 이유(남편)

상대방과 결혼을 결심하게 된 이유는 무엇인가요? 내가 상대방과 결혼을 결심한 이유를 한눈에 알 수 있도록 다음 그림을 중심으로 완성해 보세요.

결혼을 준비하며 있었던 일

결혼을 준비하며 함께 경험한 일 중에 가장 기억에 남은 에피소드를 이야기로 만들어 보세요.

제목 :

주인공이 하고 있는 일

주인공이 하는 일을 방해하는 요소

그 상황을 해결하기 위해 노력했던 일

그 결과 주인공은 어떻게 되었을까?

결혼을 준비하며 생긴 문제(아내)

누구나 행복한 결혼 생활을 꿈꾸며 결혼을 준비하지만 두 사람, 나아가
두 집안이 만나는 일이기 때문에 예기치 못한 문제가 일어납니다.

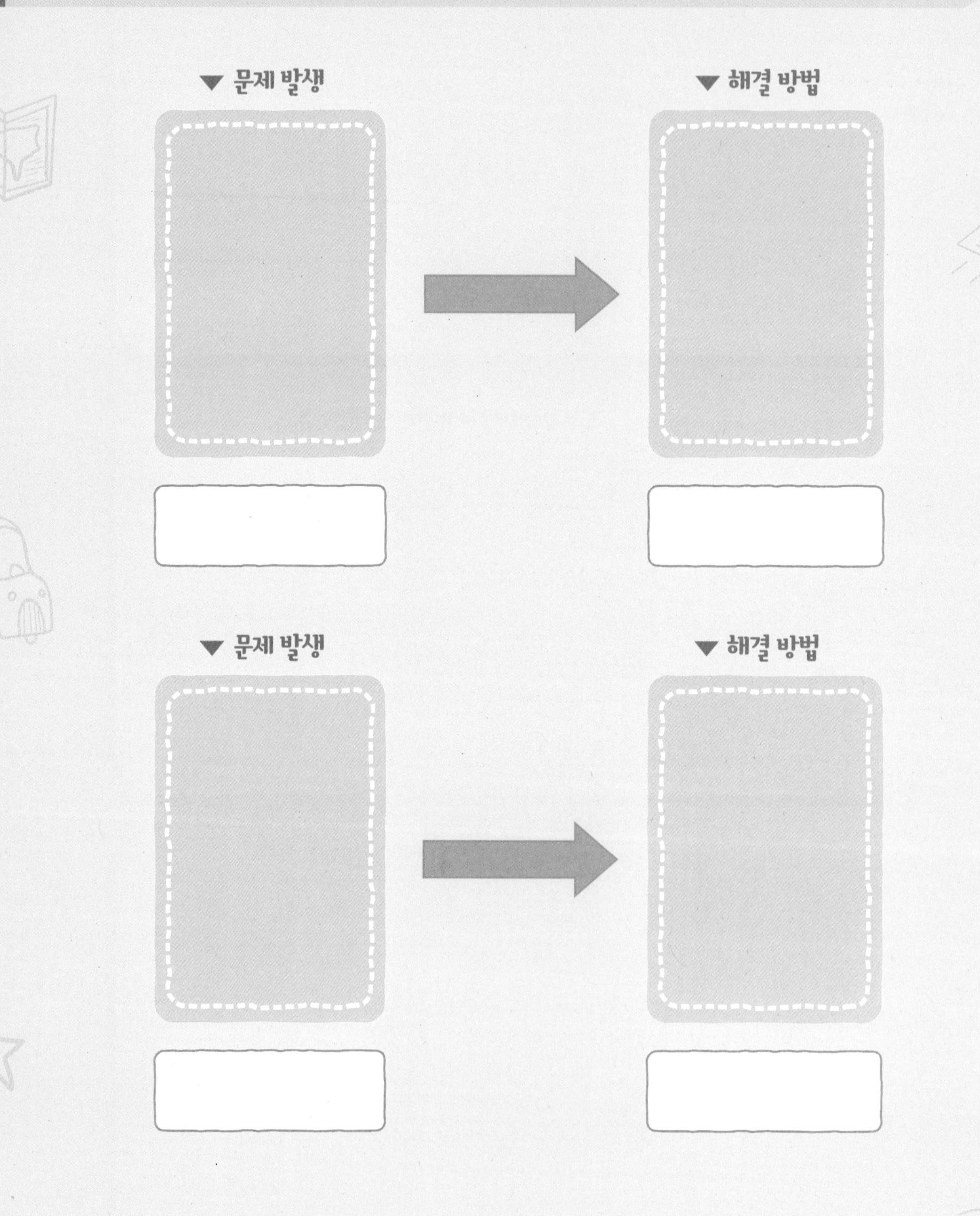

결혼을 준비하며 생긴 문제(남편)

문제를 잘 해결했으니 결혼에 골인했겠지요? 결혼을 준비하며 발생한 문제와 해결 방법을 스티커, 그림, 글자 등을 이용해 표현하세요.

내가 원하는 남편의 역할

내가 원하는 배우자는 어떤 사람인가요? 내가 원하는 배우자를 주인공으로 하는 이야기를 만들어 보세요. 스티커(그림)를 붙이고 글을 써 보세요.

이야기의 주인공

주인공이 하고 있는 일

주인공이 하는 일을 방해하는 요소

그 상황을 해결하기 위해 노력했던 일

그 결과 주인공은 어떻게 되었을까?

내가 원하는 아내의 역할

내가 원하는 배우자는 어떤 사람인가요? 내가 원하는 배우자를 주인공으로 하는 이야기를 만들어 보세요. 스티커(그림)를 붙이고 글을 써 보세요.

이야기의 주인공

주인공이 하고 있는 일

주인공이 하는 일을 방해하는 요소

그 상황을 해결하기 위해 노력했던 일

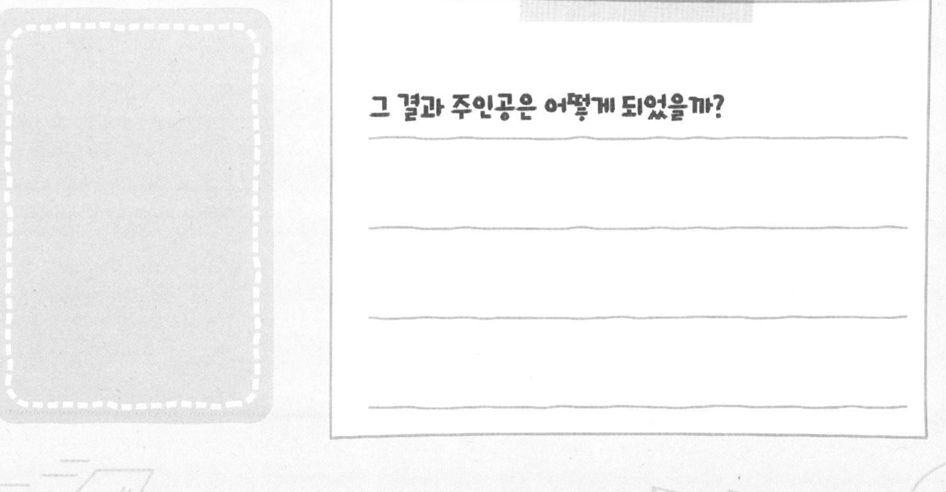

그 결과 주인공은 어떻게 되었을까?

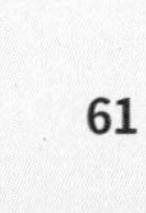

5장
결혼에 대한 당신의 생각

(가족)에 대해 정의 내리기

내가 생각하는 '가족'은 어떤 것인가요? 그림 스티커 세 장을 골라 가족에 대해 정의를 내려 보세요.

아내가 생각하는 "가족"

남편이 생각하는 "가족 "

(행복)에 대해 정의 내리기

내가 생각하는 '행복'은 어떤 것인가요? 그림 스티커 세 장을 골라 행복에 대해 정의를 내려 보세요.

남편이 생각하는 "행복"

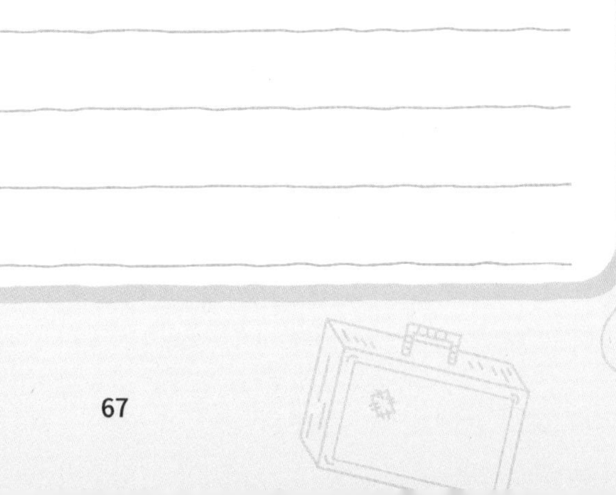

(돈)에 대해 정의 내리기

"돈" 하면 떠오르는 단어를 최대한 많이 쓴 뒤, 배우자와 공통된 단어에 동그라미를 해 보세요.

아내가 생각하는 "돈"

남편이 생각하는 "돈"

(집안일)에 대해 정의 내리기

내가 생각하는 '집안일'은 어떤 것인가요? 그림 스티커 세 장을 골라 집안일에 대해 정의를 내려 보세요.

아내가 생각하는 "집안일"

남편이 생각하는 "집안일"

(스킨십)에 대해 정의 내리기

뒤집어 있는 카드를 세 장씩 나눠 갖습니다. 카드를 모두 뒤집어 스킨십에 대해 정의를 내리세요.

아내가 생각하는 "스킨십"

남편이 생각하는 "스킨십"

(폭력)에 대해 정의 내리기

"폭력" 하면 무엇이 떠오르나요? 스티커를 네 장 골라 그 단어에 해당되는 내 이야기를 해 보세요.

아내가 생각하는 "폭력"

남편이 생각하는 "폭력"

(자녀)에 대해 정의 내리기

"자녀" 하면 무엇이 떠오르나요? 스티커를 네 장 골라 그 단어에 해당되는 내 이야기를 해 보세요.

아내가 생각하는 "자녀"

남편이 생각하는 "자녀"

6장
조금 더 행복한 결혼 생활을 위해

결혼 전후 달라진 점

결혼 전과 지금 배우자가 달라졌나요? 달라진 점이 있다면 어떤 것인지 써 보고 그것이 나에게 끼치는 영향은 무엇인지 생각해 보세요.

결혼 전 :

현재 :

결혼 전 :

현재 :

결혼 전 :

현재 :

결혼 전 :

현재 :

결혼 전 :

현재 :

결혼 전 :

현재 :

나를 힘들게 하는 가족 관계

인간관계는 누구나 어렵습니다. 최근 가족 내에서 생긴 문제를 이야기로 만들어 보고 문제 해결의 실마리를 찾아봅시다. 스티커를 붙이고 글을 써 보세요.

이야기의 주인공

주인공이 하고 있는 일

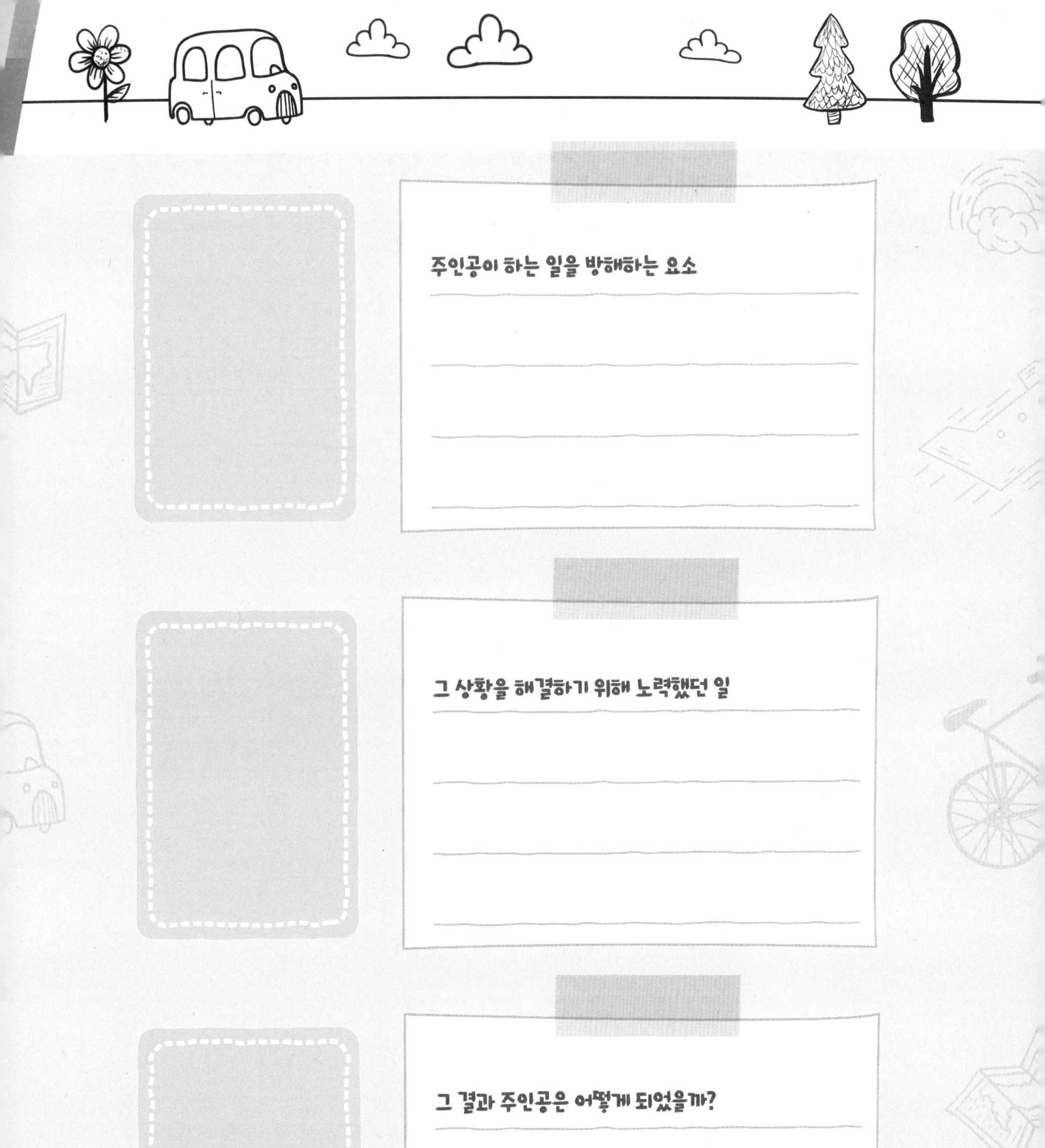

주인공이 하는 일을 방해하는 요소
그 상황을 해결하기 위해 노력했던 일
그 결과 주인공은 어떻게 되었을까?

우리 부부 미래 순간 포착

20년 뒤 우리 부부의 모습을 상상해 봅시다. 부부 중 한 명이 미래의 한 순간을 생각하고, 다른 한 명이 그 사람을 인터뷰해 주세요.

Q.

Q.

Q.

Q.

Q.

Q.

결혼을 준비하는 예비 부부에게

여러분 앞에 이제 막 결혼을 결심한 예비 부부가 있습니다. 여러분이 결혼을 먼저 한 사람으로서 결혼 생활에서 가장 중요하다고 생각하는 것을 각각 한 가지씩 한 장의 카드로 이야기해 주세요.

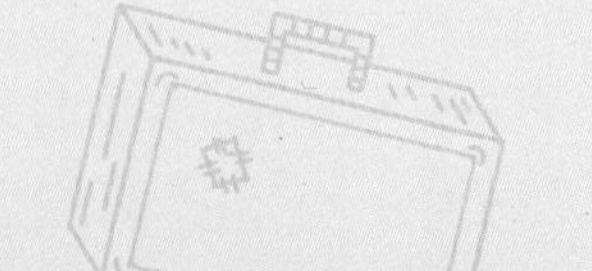